KB240359

글·그림 **하라다 요시코**
군마현에서 태어나 1992년, 도쿄예술대학대학원
미술연구과 디자인 전공 석사과정을 수료했으며,
2001년, 영국 울버햄튼대학대학원 미술연구과 석사과정을 수료했습니다.
영국에서 지낼 때, 밤마다 집 마당에 찾아오는 고슴도치를 만난 뒤로
그 사랑스러움에 푹 빠졌답니다.

옮긴이 **고향옥**
대학과 대학원에서 일본 문학을 전공하고,
일본 나고야 대학교에서 일본어와 일본 문화를 공부했어요.
『러브레터야, 부탁해』로 2016년 국제아동청소년도서협의회(IBBY)
어너리스트 번역 부문에 선정되었습니다.
옮긴 책으로는 『이게 정말 사과일까?』, 『있으려나 서점』,
『귀명사 골목의 여름』, 『오늘도 너를 사랑해』,
『민담의 심층』 등이 있습니다.

추위를 타는 고슴도치에게 양 할머니가
빨간 목도리를 짜 준 거예요.

고슴도치의 빨간 목도리

하라다 요시코 글·그림 / 옮긴이 고향옥

고슴도치의 집에서 조금만 가면
양 할머니의 집이에요.

똑 똑 똑.
"할머니, 안녕하세요."
고슴도치는 문을 빼꼼 열고 안을 들여다보았어요.
"어서 오렴! 고슴도치야. 지금 막 다 됐는데, 마침 잘 왔구나."

할머니가 빨갛고 포근한 목도리를 내밀었어요.
"우아, 따뜻해!
할머니, 고맙습니다! 잘 두르고 다닐게요."
추위를 타는 고슴도치에게 양 할머니가
빨간 목도리를 짜 준 거예요.

고슴도치가 좋아서 팔짝팔짝 뛰며 밖으로 나가자,
찬 바람이 쌩쌩 불었어요.
고슴도치는 목도리를 단단히 둘러맸어요.
훨씬 더 따뜻했어요.

숨바꼭질 나무에 가자 토끼와 다람쥐가
잔뜩 움츠린 채 추위에 바들바들, 오들오들 떨고 있어요.
"고슴도치야, 너는 안 춥겠구나."
"응. 양 할머니가 목도리를 짜 주셨어."
고슴도치는 싱글벙글 웃으며 말했어요.
하지만 토끼와 다람쥐가 무척 추워 보였어요.
"얘들아, 낙엽 썰매 타자. 그럼 안 추울 거야."
고슴도치가 다정하게 말을 건넸어요.

셋이서 신나게 낙엽 썰매를 탔어요.
씽씽, 씽~씽.
찬 바람은 쌩쌩 쌩~쌩.

"얘들아, 기차놀이 하자!"
다람쥐가 말했어요.
"차표는 나뭇잎 세 장입니다."
운전사는 토끼예요.

몸이 따뜻해지자 고슴도치는 목도리를 풀어서
그루터기 위에 올려 두었어요.
휘이잉 찬 바람이 지나갔어요.

너른 들판으로 나가자,
바람이 그치고,
하얀 눈이 나풀나풀 내리기 시작했어요.
"우아, 진짜 재미있었어! 이제 그만 집에 가자."
"그래, 또 같이 놀자!"
"응, 다음에 또 놀자!"

토끼랑 다람쥐와 헤어져 집으로 가던 고슴도치는
그제야 퍼뜩 생각났어요.
"앗, 내 목도리!"

고슴도치는 목도리를 찾으러 허둥지둥 되돌아갔어요.
나무 그루터기 둘레를 둘레둘레.
숨바꼭질 나무 둘레를 뱅글뱅글.
낙엽 썰매장을 두리번두리번.
하지만 빨간 목도리는 어디에도 없었어요.

고슴도치는 가슴이 두근두근, 따끔따끔 아팠어요.

‘목도리가 어디 갔지?
왜 없는 거야.
풀어놓지 말걸 그랬어.’
고슴도치의 눈에서 눈물이 주르륵 흘러내렸어요.

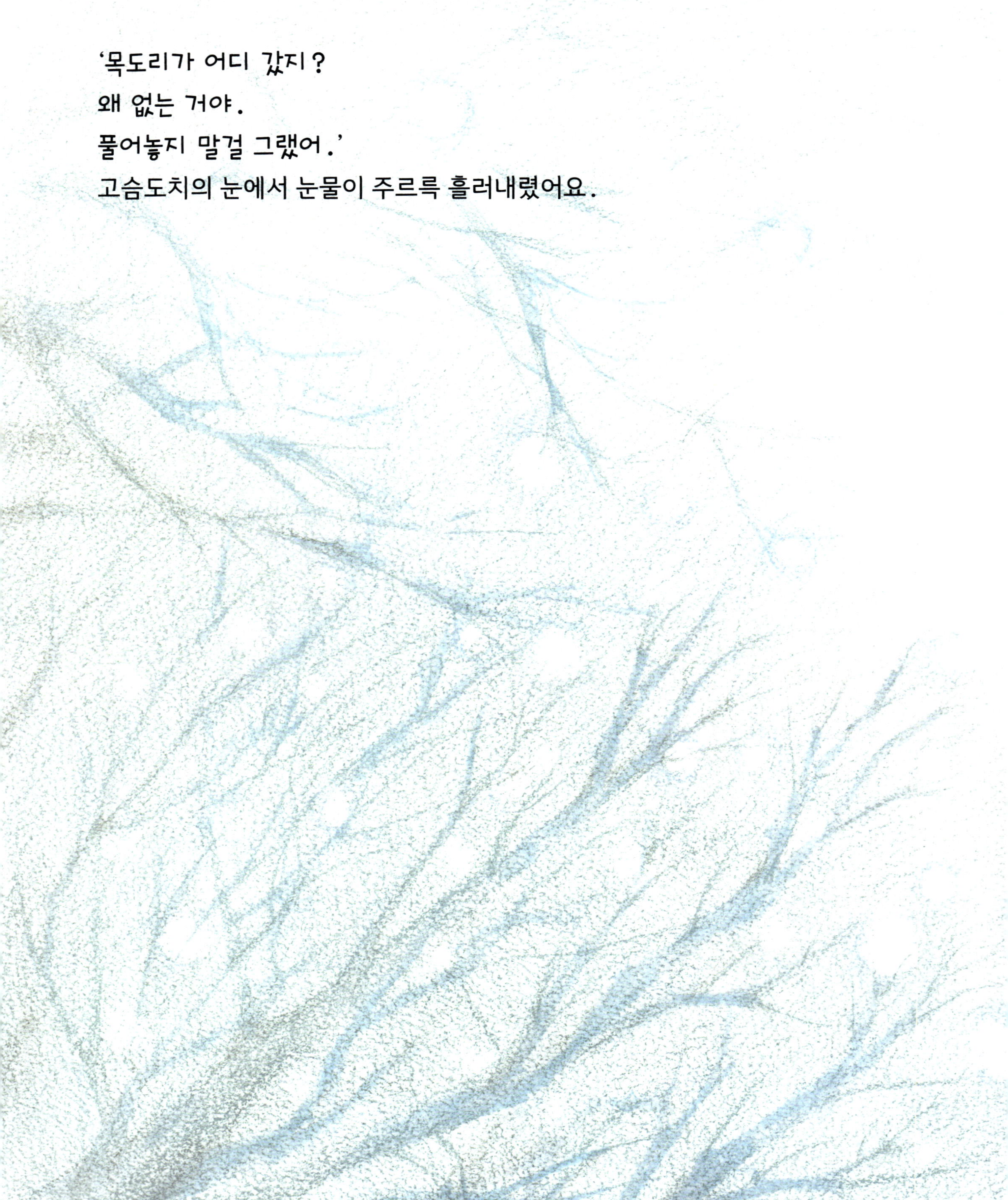

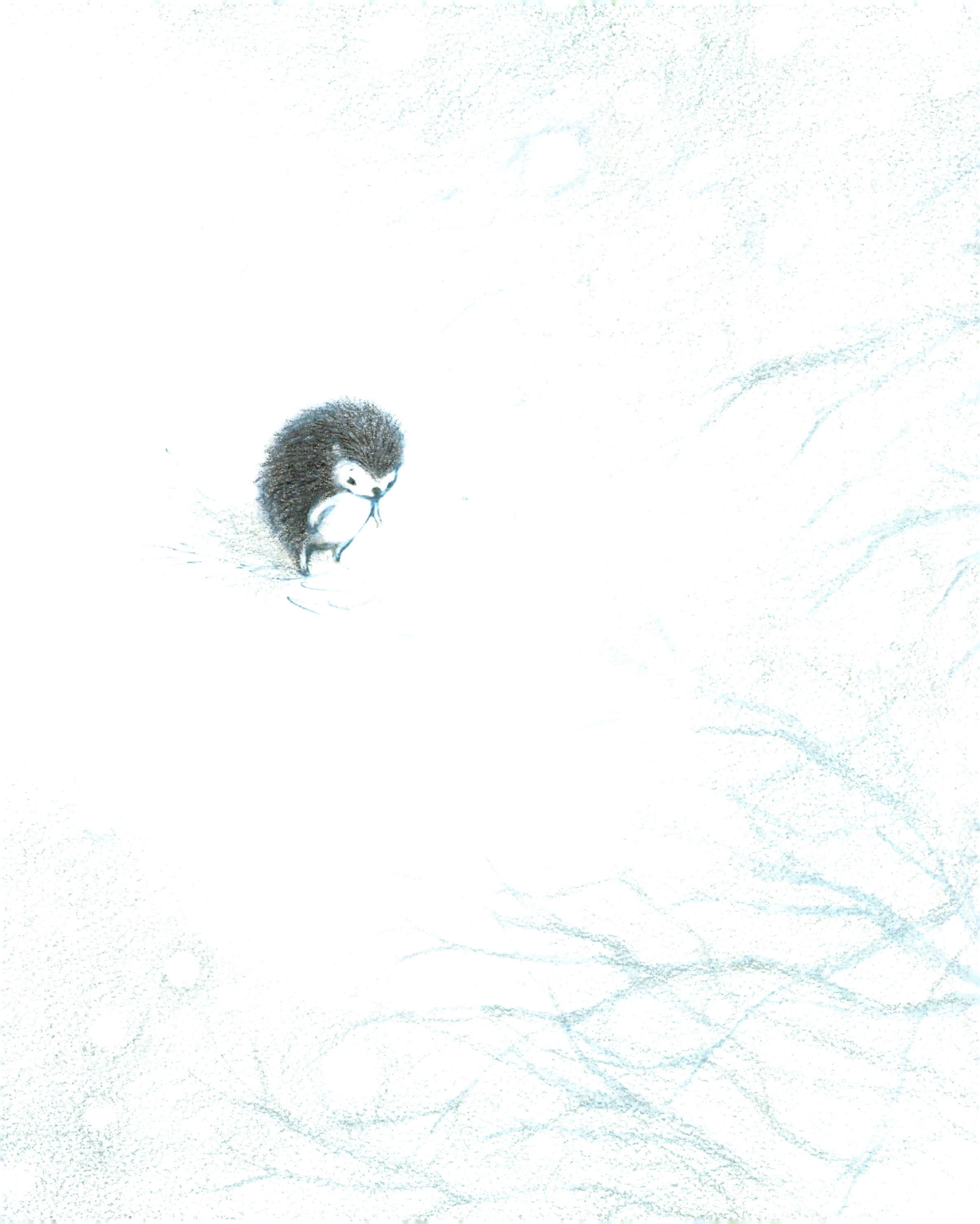

양 할머니 집앞까지 왔어요.
하지만 도저히 문을 열 수가 없었어요.
목도리를 잃어버린 걸 어떻게 말해야 할까요.

그때, 문이 열리고 할머니가 화들짝 놀라며 말했어요.
"어이쿠, 언제부터 거기 있었니? 날도 추운데….."
"….."
고슴도치는 한참 말 없이 우물쭈물 했어요.

"할머니, 죄송해요. 목도리를….,
잃어버렸어요….."

그런데 포근포근 따뜻한 것이 고슴도치를
부드럽게 감싸주지 뭐예요.
"토끼가 가져왔더구나."

할머니는 고슴도치에게 따뜻한 차를 끓여 주었어요.
"할머니, 토끼랑 다람쥐도 추위를 많이 타요.
그 친구들한테도 목도리를 짜주고 싶어요."
할머니는 빙그레 웃으며 말했어요.
"참 좋은 생각이구나.
그럼, 너는 털실을 골라주겠니?
할머니가 짜 줄 테니 말이야."

고슴도치는 기쁜 마음에 빨간 목도리를 목에 감고 집으로 돌아갔어요.
이제 모두 다 따뜻하게 겨울을 보낼 수 있게 되었어요.

고슴도치의
빠간 목도리

2025년 12월 10일 1판 1쇄 인쇄
2025년 12월 24일 1판 1쇄 발행

글 · 그림 **하라다 요시코**
옮긴이 **고향옥**

발행인 | 황민호
캐릭터비즈사업본부장 | 석인수
디자인 | 디자인 쿠키 **발행처** | 대원씨아이(주) www.dwci.co.kr
주소 | 서울시 용산구 한강대로15길 9-12
전화 편집 | 02-2071-2151 **영업** | 02-2071-2066 **팩스** | 02-794-7771
등록번호 | 1992년 5월 11일 등록 제3-563호

ISBN | 979-11-423-2743-8 07830
ISBN | 979-11-423-2742-1 (세트)

HARINEZUMIKUN NO AKAI MUFFLER
ⓒ Yoshiko HARADA 2018
All rights reserved.
Original Japanese edition published by KODANSHA LTD.
Korean translation rights arranged with KODANSHA LTD.
through COMPANY B.A